PAYS-BAS

BELGIQUE

EUPEN

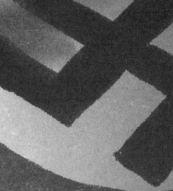

PONTAIN L'ÉCLUSE

VICHY

SUISSE

ITALIE

ZONE LIBRE

EN FIN D'ALBUM : LA CARTE À PARTIR DE NOVEMBRE 1942.

CARTE DE FRANCE DE JUIN 1940 À NOVEMBRE 1942

Les enfants de la
RÉSISTANCE

TOME 5
LE PAYS DIVISÉ

SCÉNARIO
DUGOMIER

DESSIN
COULEURS
ERS

LE LOMBARD

BRUXELLES

À la folle équipe du Lombard qui
nous soutient depuis le début de cette
belle aventure! CamilleCamilleRébekah
GauthierÉricÉliseCharlotteSophieSophie
DianeKévinLucilleChloéMathildeFélix
LouiseManonGrégorFrançoisColette
JulienJulieClémentineChristelAntoine
AntoineCédricDavidNathalieNathalie
MathiasThomasMaria. Sans oublier
la méga dream team de l'équipe
de vente dont il nous est impossible
de dresser la liste des prénoms.
Merci pour tout. On ne se lassera jamais
de votre bonne humeur!

Un immense merci aussi à toutes
et à tous les libraires, chroniqueurs,
documentalistes, blogueurs,
enseignants, bibliothécaires,
membres d'associations mémorielles,
organisateurs de salons du livre...
pour votre implication incroyable.

BENOÎT ERS ET VINCENT LODEWICK « DUGOMIER »

Retrouvez l'univers des Enfants de la Résistance
EN ROMAN AUX ÉDITIONS RAGEOT

Et retrouvez-nous sur notre site www.rageot.fr

Plus d'informations autour de la série
www.enfants-de-la-resistance.org

Des mêmes auteurs

Hell School : 3 tomes, Le Lombard
Les Démons d'Alexia : 7 tomes et 2 intégrales, Dupuis

Directeur artistique : Éric Laurin
Conception graphique : Rébekah Paulovich

© ERS / DUGOMIER / ÉDITIONS DU LOMBARD
(DARGAUD-LOMBARD S.A.) 2020

D/2019/0086/069
ISBN 978-2-8036-7281-3

R 03/2020

Dépôt légal : janvier 2019
Achevé d'imprimer en février 2020.
Imprimé et relié en France par PPO Graphic,
Rue de la Croix Martre 10, 91120 Palaiseau.

LES ÉDITIONS DU LOMBARD
7, AVENUE PAUL-HENRI SPAAK
1060 BRUXELLES - BELGIQUE

Pour être tenu informé de la date de parution
du prochain album, profitez de notre service d'alerte.
Rendez-vous sur www.lelombard.com/alertes.

W W W . L E L O M B A R D . C O M

Certifié PEFC
Ce produit est issu
de forêts gérées
durablement et de
sources recyclées
et contrôlées.
PEFC
10-31-1800   pefc-france.org

NOUS ÉTIONS EN SEPTEMBRE 1942, ET CELA FAISAIT MAINTENANT 27 LONGS MOIS QUE L'ALLEMAGNE NAZIE AVAIT ENVAHI NOTRE PAYS.

DEPUIS, LA GUERRE S'ÉTAIT PROPAGÉE UN PEU PARTOUT DANS LE MONDE.

POUR MES 15 ANS, JE M'ÉTAIS FAIT OFFRIR UNE CARTE POUR MIEUX SUIVRE LES INFORMATIONS QUE JE COLLECTAIS EN ÉCOUTANT LA RADIO ANGLAISE : LA B.B.C.

NOTRE PAYS ÉTAIT DIVISÉ EN DEUX !

LA ZONE OCCUPÉE AU NORD ET LA ZONE NON OCCUPÉE AU SUD.

LA FRANCE SÉPARÉE PAR UNE LIGNE DE DÉMARCATION !

COMME UNE FRONTIÈRE AU CŒUR DE NOTRE PAYS.

JE NE L'AVAIS JAMAIS VUE, MAIS JE SAVAIS QU'IL ÉTAIT INTERDIT DE LA FRANCHIR SANS UN "AUSWEIS", LE FAMEUX LAISSEZ-PASSER.

SOLIDEMENT SURVEILLÉE, LA LIGNE DE DÉMARCATION SUIVAIT EN GÉNÉRAL LES GROS COURS D'EAU, ET LES PONTS SERVAIENT DE POINTS DE CONTRÔLE.

DEMARKATIONSLINIE
ÜBERSCHREITEN VERBOTEN
WER AUF ANRUF NICHT HALT WIRD ERSCHOSSEN
LIGNE DE DEMARCATION
DEFENSE DE TRAVERSER
QUI N'ARRÊTE PAS À L'APPEL SERA FUSILLÉ

L'ARMISTICE AVEC LES ALLEMANDS AVAIT ÉTÉ SIGNÉ DEPUIS DEUX ANS, METTANT UN TERME AU CONFLIT MILITAIRE SUR NOTRE TERRITOIRE.

ON APPROCHE DE LA SAÔNE!
```

POURTANT, DES CIVILS AVAIENT DÉCIDÉ DE CONTINUER LA LUTTE: *LES RÉSISTANTS!*

VOTRE PASSEUR EST À UN KILOMÈTRE, ASSIS DOS À UNE CHAPELLE.

VOUS SOUVENEZ-VOUS DES MOTS DE CODE À ÉCHANGER?

OUI!

JE NE SAIS PAS CE QUE VOUS ALLEZ FAIRE EN ZONE OCCUPÉE, MAIS JE VOUS SOUHAITE BONNE CHANCE!...

MA MISSION S'ARRÊTE LÀ!

MERCI!

```

ON Y EST ENFIN ! SAUTEZ !

AVEZ-VOUS BIEN MÉMORISÉ COMMENT TROUVER L'AUXILIAIRE QUI VOUS PRENDRA EN CHARGE, AINSI QUE LE CODE POUR VOUS RECONNAÎTRE ?

OUI !

ET VOUS ?... AUREZ-VOUS LE TEMPS DE RENTRER AVANT LA PATROUILLE ?

CHACUN SA MISSION ! FILEZ ! VITE !

HALT ! HALT !

PAM !

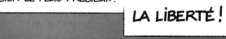

QUITTE À PAYER LE PRIX FORT, LES RÉSISTANTS LUTTAIENT POUR RETROUVER LE BIEN LE PLUS PRÉCIEUX :

LA LIBERTÉ !

BONJOUR, MADAME GUILLET, JE VIENS VOIR LISA ET FRANÇOIS !

BONJOUR, EUSÈBE !

TAP TAP TAP

C'EST MOI !... PANIQUEZ PAS !

CES GRANDS ENFANTS !... À LEUR ÂGE, ENCORE JOUER ENSEMBLE MALGRÉ LA GUERRE !

BAH !... CE N'EST PAS PLUS MAL !

NOUS FAISIONS PARTIE DE LA RÉSISTANCE ! CAR IL N'Y A PAS D'ÂGE POUR S'INDIGNER ET SURTOUT AGIR !

J'AI EU CES REVUES GRÂCE À MON PÈRE. VOUS DEVRIEZ VOIR LES PHOTOS !

VOILÀ BIENTÔT DIX ANS QU'ADOLF HITLER ÉTAIT AU POUVOIR EN ALLEMAGNE. LE DICTATEUR NAZI CONTRÔLAIT TOUT ! LES POUVOIRS POLITIQUES, ÉCONOMIQUES, LA JUSTICE ET BIEN ENTENDU, L'ARMÉE !

POUAH ! SALE TYPE !

HONTEUX !

Le chancelier **Adolf Hitler** félicite la Hitlerjugend (Jeunesse hitlérienne) pour l'aide qu'elle apporte à son pays en l'absence des pères qui combattent avec courage le bolchevisme sur le front de l'Est.

MAIS LES JOURNAUX NOUS CONFRONTAIENT À D'AUTRES MOTIFS D'INDIGNATION ...

PLUS COMPLEXES ...

ASSASSINS !

Les bombardiers américains à l'ouvrage au-dessus de Rouen, la belle cité aux cent clochers.

REGARDEZ ÇA !

Le 17 août 1942, les habitants de la région de Rou entendirent dans le ciel un vrombissement parti Ce jour-là, douze bombardiers frappés de l'étoile blanche américaine apparaissent dans le ciel de

TOUT D'ABORD, SON MÉTIER L'OBLIGEAIT À BEAUCOUP CIRCULER...

GUERCHIN

NROARR...

IL POSSÉDAIT DONC UN AUSWEIS PERMANENT POUR SE DÉPLACER UN PEU PARTOUT.

ENSUITE, SA FAMILLE ET LUI AVAIENT SUBI LA PERSÉCUTION DE L'OCCUPANT.

SA HAINE DES NAZIS NE POUVAIT QU'ÊTRE FAROUCHE !

VOILÀ L'ENDROIT !

JE SIMULE UNE PANNE COMME LE LYNX ME L'A DEMANDÉ, ET JE L'ATTENDS.

MAIS, C'EST LE GAMIN DE LA FERME GUILLET !? ...

C'EST BIEN LE MOMENT ! ET LE LYNX QUI VA ARRIVER !

BONJOUR, MAÎTRE BOGAERT !

BONJOUR, EUH... FRANÇOIS !... QUE VIENS-TU FAIRE PAR ICI ?

DEVINEZ !

LES NAZIS NOUS DÉBARRASSENT AUSSI DE NOS JEUNES, SEMBLE-T-IL !

DONG DONG DONG

C'EST L'HEURE, LES ENFANTS, ON RETOURNE À L'ÉCOLE !

AH, TU ES LÀ !?

PFF !... HIER, NOUS AVONS RAMASSÉ DES VIEUX JOURNAUX, AUJOURD'HUI DES VIEUX CHIFFONS ...

DEMAIN, CE SERA QUOI ? DE LA FERRAILLE ?

J'EN AI ASSEZ DE CES COLLECTES IMPOSÉES PAR PÉTAIN ET SA CLIQUE DE VICHY !

VOILÀ JUSTEMENT VICHY QUI T'ÉCRIT !

MON FRÈRE ET LISA ?... ILS SONT AUX POMMES DE TERRE SUR LA PARCELLE DU CALVAIRE !

DIS-LEUR QUE J'ARRIVE !

MERCI, JULES !

FRANÇOIS, LISA !... J'AI UNE EXCELLENTE NOUVELLE !

NOUS AUSSI ! LA PARCELLE N'A PAS ÉTÉ TROP PILLÉE CETTE ANNÉE !

LA VIEILLE MADAME AUBERTIN EST MORTE !

?!?... C'EST UNE BONNE NOUVELLE, ÇA ?

RAPPELLE-TOI LES CONSEILS DE PÉGASE, FRANÇOIS !

MAIS OUI !... C'EST LE MOMENT D'UTILISER LE MAIRE !

VOILÀ !... IL FAUT AGIR AUJOURD'HUI MÊME !

PÉGASE ÉTAIT UN AGENT ENVOYÉ PAR LONDRES POUR ORGANISER LES FOYERS DE RÉSISTANCE DANS LA RÉGION.

C'EST LUI QUI NOUS AVAIT FORMÉS. MALHEUREUSEMENT, LES NAZIS L'AVAIENT REPÉRÉ ET TUÉ.

VVROOOOOOVROOOOOO

!?

DES... DES AVIONS !

VROOOOOOO

UN PETIT AVION AVAIT DÉJÀ SURVOLÉ LE VILLAGE QUELQUES MOIS AUPARAVANT, MAIS CEUX-CI ÉTAIENT D'UN TOUT AUTRE CALIBRE !

LES ALLEMANDS VONT ALLUMER LEURS PHARES ! ...

UNE CACHETTE, VITE !

15

OUF! ILS NE FAISAIENT QUE PASSER!

LES INSTRUCTIONS DANS LA BOÎTE AUX LETTRES DU MAIRE, ET RETOUR RAPIDE À LA MAISON!

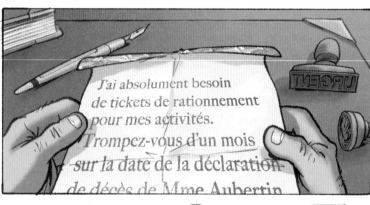

J'ai absolument besoin de tickets de rationnement pour mes activités. Trompez-vous d'un mois sur la date de la déclaration de décès de Mme Aubertin

...DE LA DÉCLARATION DE DÉCÈS DE MADAME AUBERTIN. LE MOIS DE TICKETS DE RATIONNEMENT AINSI OBTENU ME SERA REMIS ...

... VIVE LA LIBERTÉ, VIVE LA FRANCE!

LE LYNX.

CE N'EST PAS BÊTE EN EFFET, MAIS LE REGISTRE DES DÉCÈS EST DÉJÀ REMPLI!

SI JE ME FAIS PRENDRE! ...

BAH!... IL SUFFIT DE FALSIFIER LE PLUS PROPREMENT POSSIBLE!...

QUI IRA VÉRIFIER ÇA?

DEPUIS LE DÉBUT DE LA GUERRE, TOUTES LES FOURNITURES ÉTAIENT RÉGIES PAR DES TICKETS DE RATIONNEMENT.

NON, MADAME RAYER!

J'AVAIS PU OBSERVER COMMENT CELA FONCTIONNAIT DANS LE MAGASIN DE MON PARRAIN À PARIS.

JE NE PEUX PAS VOUS FOURNIR DE POMMES DE TERRE AVEC UN TICKET PÉRIMÉ DEPUIS HIER!

S'IL VOUS PLAÎT, MONSIEUR GUILLET!... ÇA FAIT DEUX JOURS QUE VOUS N'EN AVEZ PLUS À VENDRE QUAND VIENT MON TOUR!...

DÉJÀ QUE LES RATIONS INDIVIDUELLES SONT DE PLUS EN PLUS PETITES.

TÛT, TÛT, TÛT!... LA MAIRIE CONTRÔLE TOUT ET ELLE EST TRÈS SÉVÈRE!

VOUS N'AVEZ QU'À ARRIVER DANS LES FILES PLUS TÔT!... PASSEZ VOTRE TOUR!

LES MAIRIES FOURNISSAIENT DES TICKETS AUX MÉNAGES, ET LES COMMERÇANTS DEVAIENT LES RETOURNER AUX MAIRIES.

CES TICKETS NE GARANTISSAIENT EN AUCUN CAS QU'IL Y AURAIT ASSEZ DE MARCHANDISES POUR TOUS.

IL EN ÉTAIT AINSI POUR TOUT: PAIN, SAVON, ESSENCE, CHARBON...

OR, L'OPÉRATEUR RADIO QUE NOUS ATTENDIONS ALLAIT DEVOIR VIVRE DANS LA CLANDESTINITÉ. DONC SANS TICKETS POUR SE NOURRIR.

IL MANGERAIT UN MOIS SUR LE COMPTE DE CETTE PAUVRE MADAME AUBERTIN. MAIS CE MATIN-LÀ, LE SUJET DE CONVERSATION ÉTAIT TOUT AUTRE.

C'ÉTAIT TERRIBLE, VOUS AURIEZ DÛ VOIR ÇA!

VROARR

EN TOUT CAS, ON L'A ENTENDU!

J'AI CRU QUE LE TOIT DE L'ÉCOLE ALLAIT S'ENVOLER!

JE NE SAIS PAS SI C'ÉTAIENT DES ANGLAIS OU DES AMÉRICAINS, MAIS ILS ALLAIENT DROIT VERS L'EST!

PAR LÀ, C'EST L'ALLEMAGNE À MOINS DE 200 KILOMÈTRES.

QUI SAIT!... ILS ALLAIENT PEUT-ÊTRE FAIRE UN BON COUP CHEZ ADOLF!

CHEZ... CHEZ ADOLF!?

VOUS OUBLIEZ TOUJOURS QU'AVANT DE VENIR VOUS TYRANNISER, HITLER A D'ABORD TYRANNISÉ DES TAS DE GENS DANS SON PROPRE PAYS !

ON NE L'OUBLIE PAS !

REVIENS, LISA !

IL VAUT MIEUX LA LAISSER, FRANÇOIS !

ATTENTION À VOUS, JE SUIS UNE SALE BOCHE !

?

BOUHOUHOUuu !

LA PAUVRE !... JE N'AI PAS ÉTÉ TRÈS SUBTIL !

ELLE A DÛ VIVRE DES CHOSES TERRIBLES QUAND ELLE HABITAIT À BERLIN.

MÊME SI LISA ÉTAIT FIÈRE DE SES PARENTS OPPOSANTS AU RÉGIME NAZI, GRANDIR AINSI N'AVAIT PAS DÛ ÊTRE FACILE.

DES CHOSES DOULOUREUSES SEMBLAIENT ENFOUIES EN ELLE. IL ÉTAIT SANS DOUTE ENCORE TROP TÔT POUR QUE LISA NOUS LIVRE TOUTE SON HISTOIRE.

ICH VERMISSE EUCH SCHRECKLICH !

– VOUS ME MANQUEZ TANT.

19

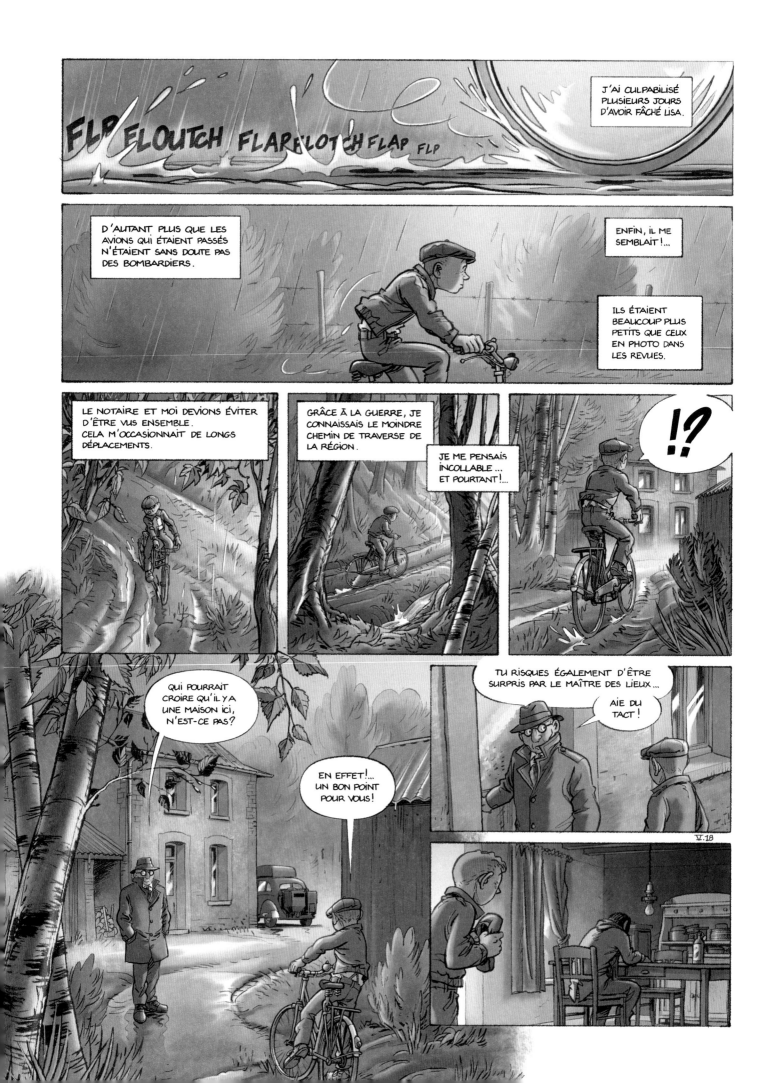

BONJOUR, P'TIT.

B... BONJOUR, MONSIEUR!

TU NE DOIS PAS AVOIR PEUR, TU SAIS...

CETTE MAISON EST EN INDIVISION. C'EST-À-DIRE QUE LES HÉRITIERS DU PROPRIÉTAIRE DÉCÉDÉ SONT EN DÉSACCORD SUR LE PARTAGE...

DE CE FAIT, IL LEUR EST INTERDIT DE VENIR ICI. MES PASSAGES, EUX, SONT JUSTIFIÉS, PUISQUE JE M'OCCUPE DE GÉRER LE DOSSIER.

C'EST CASIMIR, QUI DÉSIRE VIVRE EN ERMITE, QUI OCCUPE ET ENTRETIENT LE BIEN.

MA VIE SOLITAIRE ET MA GUEULE CASSÉE, P'TIT, C'EST À CAUSE D'UN OBUS BOCHE EN 1914!

ALORS, DIS À TON CHEF QU'IL PEUT COMPTER SUR MOI!

UNE GUERRE TOUS LES TRENTE ANS, ON N'EN AURA JAMAIS FINI AVEC CES BOCHES!

UNE PORTE DERRIÈRE, C'EST BIEN! L'OPÉRATEUR SERA EN SÉCURITÉ ICI.

TOUJOURS PAS DE NOUVELLES DE LUI?

IL APPROCHE! JE LE SAIS EN DE BONNES MAINS.

SHLAK

21

TIENS !... PISTOLET CALIBRE SIX MILLIMÈTRES. TU EN AURAS PEUT-ÊTRE BESOIN, PUISQUE TU ENTRES EN CLANDESTINITÉ CETTE NUIT !

PRÊTS POUR LE DÉPART ?

ÇA NE FAIT PAS LE POIDS FACE AUX FUSILS DES BOCHES, MAIS C'EST DÉJÀ ÇA !

IL TE SERVIRA SURTOUT SI TU N'AS PAS ENVIE DE TOMBER ENTRE LEURS PATTES !

... À CONDITION D'AVOIR LE CRAN !... MOI, JE CROIS QUE JE POURRAIS !

CAPSULE DE CYANURE QUI M'A ÉTÉ FOURNIE À LONDRES...

ON CROQUE, LA MORT EST INSTANTANÉE, NETTE ET SANS BAVURE !

ALEXANDRE ! ALEXANDRE !

JE VIENS DE RECEVOIR LA CONFIRMATION !... IL ARRIVE CETTE NUIT !

MMH ?... AH... TRÈS BIEN !

MAIS MOI, JE N'ARRIVE PAS À FORMULER LA MOINDRE RÉPONSE À CET INSPECTEUR D'ACADÉMIE !

C'EST LA CATASTROPHE !

IL VA VENIR FOUINER ICI, JE LE SENS !

AURAIS-TU PEUR D'UN INSPECTEUR D'ACADÉMIE, *TOI* QUI T'OCCUPES D'UN RÉSEAU D'EXFILTRATION DE JUIFS ET D'ÉVADÉS ?!?...

NON, BIEN SÛR !...

MAIS COMMENT LUI JUSTIFIER MES MANQUEMENTS ?

23

LA PLUPART DE CES MESSAGES PEUVENT ATTENDRE...

MAIS CELUI-CI A UN CODE D'URGENCE ET D'IMPORTANCE TRÈS ÉLEVÉES!

JE PEUX ÉMETTRE DANS DEUX HEURES!... ON N'AURA PAS LE TEMPS DE CHARGER LES BATTERIES!

INTERDICTION D'ÉMETTRE DEPUIS LE LIEU DE RÉSIDENCE!... IL FAUT UNE CACHE RACCORDÉE AU RÉSEAU ÉLECTRIQUE!

QU'EN DITES-VOUS?

POURQUOI NE PAS ÉMETTRE PLUS TARD DANS LA JOURNÉE?

PARCE QU'IL N'Y A PAS EN ANGLETERRE QUELQU'UN POUR NOUS ÉCOUTER À N'IMPORTE QUELLE HEURE.

ALORS? DÉCIDEZ-VOUS!

MMM!...

JE SAIS! ON Y VA!

JE METS LE MATÉRIEL DANS LE COFFRE!

VROPP

S'IL Y A UN CONTRÔLE POUSSÉ, NOUS SOMMES FINIS!... LE PIANISTE NE DOIT JAMAIS CIRCULER EN MÊME TEMPS QUE LA RADIO ET LES CODES.

LE PIANISTE?

C'EST AINSI QUE L'ON NOMME LES OPÉRATEURS RADIO!

VROPP POT POT

POURQUOI DIABLE VOUS FAIT-ON TRAVAILLER D'EMBLÉE DANS L'URGENCE?

MON VOYAGE A ÉTÉ LENT. MAIS UN OPÉRATEUR RADIO DE LA RÉGION A PROBABLEMENT ÉTÉ ÉLIMINÉ PAR LES ALLEMANDS. SON TRAFIC A DÛ ÊTRE DÉVIÉ VERS MOI.

J'ESPÈRE QUE VOUS AVEZ CONSCIENCE DES RISQUES QUE NOUS ENCOURONS!... LES PIANISTES ET LEURS AUXILIAIRES ONT UNE ESPÉRANCE DE VIE DES PLUS COURTES!

UN CONTRÔLE!

RESTEZ CALMES ET TOUT VA BIEN SE PASSER!

!?... IL EST CULOTTÉ, LE PETIT!

VOUS ÊTES EN RÈGLE!...

BONNE ROUTE, MAÎTRE!

MERCI!

OUF!... MON MÉTIER IMPOSE ENCORE UN CERTAIN RESPECT!... ÇA AIDE!

TANT MIEUX, MAIS PAS DE DÉTAILS PERSONNELS! AU FAIT, MOI, C'EST EURÊKA, ET VOUS?

BROoo

APPELEZ-MOI SAUTE-RUISSEAU!

SAUTE-RUISSEAU!?... QUEL CHOIX! DU COUP, LE NOTAIRE M'APPARAISSAIT SYMPATHIQUE.

ET TOI, PETIT? QUEL EST TON SURNOM?

?...

JE N'EN AI PAS, JE M'APPELLE FRANÇOIS! DE TOUTE FAÇON, IL Y EN A PLEIN, DES FRANÇOIS, ALORS...

ON Y EST!

S'IL FAUT FUIR, IL Y A UN AUTRE ACCÈS PAR L'ARRIÈRE!

DÉPÊCHEZ-VOUS, ON A TOUT JUSTE LE TEMPS!

FRANÇOIS, TU DÉROULERAS LE FIL D'ANTENNE SUR LE BALCON!... EN HAUTEUR!...

VÉRIFIE BIEN QUE PERSONNE NE TE VOIT!

PARFAIT! PAS DE NŒUD!... QU'ON PUISSE LE RÉCUPÉRER D'UNE SIMPLE TRACTION!

ON EST PRÊTS! SORTEZ VOS ARMES ET POSITIONNEZ-VOUS POUR FAIRE LE GUET!

PAS D'ARMES? LES GUETTEURS DOIVENT TOUJOURS ÊTRE ARMÉS!

PRENEZ CE PISTOLET!

!...

C'ÉTAIT ÇA, LA RÉSISTANCE. NOUS ÉTIONS APPELÉS À EN FAIRE PLUS. TOUJOURS PLUS!

C'ÉTAIT COMME METTRE LE DOIGT DANS L'ENGRENAGE D'UNE MACHINE IMPOSSIBLE À ARRÊTER.

C'EST L'HEURE, MESSIEURS! CHACUN À SON POSTE!

25

TANDIS QUE J'ENTENDAIS POUR LA PREMIÈRE FOIS EURÊKA PIANOTER...

TIC   TITIC
TIC TIC TIC
TIC

FRANÇOIS, LE COULOIR EST RESTÉ ALLUMÉ! ÉTEINS-LE! VITE!

ÇA OSCILLE À CHAQUE IMPULSION!

TIC
TIC

TIC TIC

CLAK!

C'EST QUAND ON OPÈRE SUR LE SECTEUR!... UN POSTE CONSOMME TROP POUR LA PLUPART DES INSTALLATIONS.

Y A PAS MIEUX POUR SE FAIRE REPÉRER!

TITIC TIC TIC...

MALGRÉ LE DANGER, CE FUT UN DE MES PLUS BEAUX MOMENTS DEPUIS LE DÉBUT DE LA GUERRE.

TIC TITIC
TIC TIC

TRÈS VITE, DES SONS STRIDENTS FILTRÈRENT À TRAVERS LES ÉCOUTEURS D'EURÊKA...

UNE RÉPONSE!

KRÎÎ... TÛDÛDÛT TÛT

J'ÉTAIS ENVOÛTÉ PAR CES BRUITS QUI SURVOLAIENT TOUTES LES FRONTIÈRES DEPUIS LONDRES...

DEPUIS LA LIBERTÉ!

TUÎÎT TÛT TÛT
KRR TÛT

J'ÉTAIS EN DIRECT AVEC LE COMMANDEMENT DES ALLIÉS!... LIEU DE TOUS NOS ESPOIRS!

TICTIC TIC...

KRÎÎ

MAIS ALORS QUE DEPUIS DES MOIS NOUS USIONS DE MILLE PRÉCAUTIONS POUR ŒUVRER CACHÉS, AUJOURD'HUI, NOUS SORTIONS DE L'OMBRE VOLONTAIREMENT.

TIC TIC TIC

J'AVAIS DÉJÀ CROISÉ CES PETITS CAMIONS ÉQUIPÉS POUR LOCALISER LES ÉMISSIONS RADIO DES RÉSISTANTS.

À CHAQUE IMPULSION, EURÊKA ENTRAIT AUSSI EN CONTACT AVEC L'ENNEMI!

ALARM! UNTERGRUND-SENDER!

NOUS PROVOQUIONS LES NAZIS ET IL NE FALLAIT PAS ÊTRE DEVIN POUR IMAGINER CE QUE NOUS ATTIRIONS VERS NOUS.

TIC TIC
TIC TIC
TIC
TITIC
TIC
TIC

EURÊKA POURSUIVAIT. IMPASSIBLE, CONCENTRÉ.

TIC
TIC
TI-TIC
TIC
TIC
TIC
TIC
TIC

VROOOM

BROM VROOOOOPP

À DEUX REPRISES, IL REMPLAÇA UN PETIT BOÎTIER. J'APPRIS QUE ÇA S'APPELAIT UN QUARTZ. AINSI, IL CHANGEAIT DE LONGUEUR D'ONDE POUR RETARDER LES RECHERCHES.

CAR NOUS LE SAVIONS, LA VASTE ZONE DANS LAQUELLE NOUS ÉTIONS REPÉRÉS RÉTRÉCISSAIT À VUE D'ŒIL.

FINI!

ON BRÛLE LES CODES, ON CACHE LA RADIO ET L'ARME !... PAS QUESTION DE CIRCULER AVEC TOUT ÇA !

BRAVO, MESSIEURS !... MAIS PAS DEUX FOIS AINSI !

RVv
VROOO

IL VA FALLOIR DEVENIR VITE TRÈS BONS !... AU RISQUE DE DISPARAÎTRE !

LE PLUS FOU EST QUE NOUS NE CONNAISSIONS MÊME PAS LES INFORMATIONS POUR LESQUELLES NOUS AVIONS PRIS DE TELS RISQUES...

PAS MÊME EURÊKA!

SEULE LONDRES POSSÉDAIT LES CODES POUR DÉCRYPTER LES MESSAGES.

D'ACCORD POUR REMPLACER À L'OCCASION, MAIS MON RÔLE N'EST PAS D'ÊTRE GUETTEUR!

MOI NON PLUS!

LE LYNX VOUS AVAIT DEMANDÉ DE RECRUTER DES AUXILIAIRES POUR L'OPÉRATEUR!

J'AI UN PEU DE RETARD!

RATTRAPEZ-LE!

JE FERAI DIRE AU LYNX QUE POUR LES CACHES, VOUS AVEZ ÉTÉ PARFAIT!

SACRÉ TEMPÉRAMENT, CE GAMIN!

AH, ÇA!

QUELLE AVENTURE!

ET J'AVAIS MAINTENANT BEAUCOUP DE TRAVAIL EN RETARD À LA FERME.

DEPUIS QUE JE L'AVAIS RECRUTÉ, JE ME SURPRENAIS À ME MONTRER AUTORITAIRE AVEC LE NOTAIRE ...

C'EST QUE MALGRÉ QUE JE SOIS OFFICIELLEMENT SON AGENT DE LIAISON, J'ÉTAIS AUSSI SON CHEF!

LE LYNX!

LA RÉSISTANCE ÉTAIT UN CURIEUX MÉLANGE OÙ UN FILS DE PAYSAN POUVAIT DEVENIR LE SUPÉRIEUR D'UN NOTABLE.

UNE SOCIÉTÉ OÙ TOUT ÉTAIT REMIS À PLAT. OÙ ÊTRE "BIEN NÉ" NE DONNAIT PAS DE PRIVILÈGES.

FRANÇOIS!... TU EN AS MIS DU TEMPS!... IL Y A EU UN SOUCI ?

NE M'EN PARLE PAS ! FIGURE-TOI QUE...

VRRRr
VRRr

BRRM

TU.., TU AS ÉTÉ SUIVI ?

MAIS NON, JE NE PENSE PAS !

VOUS DONNER COCHON ! OBLIGÉ !

SCLAK

REGARDEZ, LE PLUS GROS N'A PAS SIX MOIS ! CE SERAIT DU GÂCHIS !

PAS DISCUTER !

PAS AVOIR PEUR, JOLIE FILLE !

BLAM

TOI BEAUX CHEVEUX, BEAUX YEUX... TOI JOLIE COMME UNE ALLEMANDE !

DAS IST GENAU RICHTIG FÜR UNSER SCHLEUSENFEST !

TAP TAP

TOUT ÇA SE PAIERA UN JOUR, MESSIEURS !

FRANÇOIS...

VVROOpp

ILS PARLAIENT EN ALLEMAND D'UNE FÊTE À L'ÉCLUSE ! ...

J'IRAI VOIR CE QUI S'Y PASSE !

EH, LISA, OÙ VAS-TU ?

?

CHUUT ! SUIS-MOI SI TU VEUX, MAIS EN SILENCE ! ...

LES PATROUILLES SONT NERVEUSES DEPUIS LE PASSAGE EN RASE-MOTTE DES AVIONS ALLIÉS !

J'EN ÉTAIS SÛRE, REGARDE ! IL Y A PLUS DE FORTIFICATIONS QUE LORSQUE NOUS EN AVIONS FAIT LE RELEVÉ IL Y A UN AN !

ILS FÊTENT LA FIN DES TRAVAUX !

LE TOUT EST DE SAVOIR POURQUOI ILS RENFORCENT LEUR DÉFENSE...

NOUS NOUS ENFONÇIONS DANS L'AUTOMNE 1942.

LES AMÉRICAINS SOUFFRENT DANS LES ÎLES DU PACIFIQUE... CRRRRR... TWIiiii! KR! KR!

ILS SONT CORIACES, CES JAPONAIS !

JULES, MON FRÈRE, ME FAISAIT DE LA PEINE ...

DANS LE DÉSERT D'ÉGYPTE, L'ARMÉE ANGLAISE INFLIGE DE LOURDES PERTES À L'AFRIKAKORPS... Tuĭiii... KR! KR!

ALLEZ! OUI!... ILS FINIRONT PAR LES AVOIR !

MAIS LUI LES VIVAIT DEVANT LA RADIO.

IL N'AGISSAIT PAS.

EN RUSSIE, L'ARMÉE ALLEMANDE S'ENLISE DEVANT STALINGRAD. Krĭii... KR!

AHAAA!... LA PREMIÈRE DÉFAITE ALLEMANDE APPROCHE, J'EN SUIS SÛR !

C'ÉTAIT UNE PERSONNALITÉ EFFACÉE. NOUS AVIONS POURTANT UNE INDIGNATION ET DES ESPOIRS IDENTIQUES.

IL SE CONTENTAIT D'ATTENDRE DES JOURS MEILLEURS !

LE NOTAIRE AVAIT RECRUTÉ D'EXCELLENTS AUXILIAIRES.

LES CACHES POUR ÉMETTRE ÉTAIENT RENOUVELÉES CONSTAMMENT ET LE MATÉRIEL APPORTÉ À L'AVANCE.

L'ÉQUIPE SE JOUAIT DES ALLEMANDS, EURÊKA ÉTAIT DE PLUS EN PLUS ACTIF.

ILS ÉTAIENT VITE DEVENUS TRÈS BONS.

Bravo à tous pour votre travail. Le Lynx

CE LYNX! ...

À LONDRES, ON M'AVAIT PRÉVENU QU'IL ÉTAIT POUR AINSI DIRE INVISIBLE TANT IL SE CLOISONNE!

C'EST PLUTÔT RASSURANT!

COCASSE QU'IL UTILISE DU PAPIER PEINT!

AH, POURQUOI?

POUR RIEN!

CHACUN SA VIE PRIVÉE DANS LA RÉSISTANCE!

...

ET C'EST INDISCRET SI JE VOUS DEMANDE POURQUOI VOUS VOUS FAITES APPELER EURÊKA?

NON!... TU SAIS QU'ARCHIMÈDE A CRIÉ «EURÊKA» DANS SON BAIN?...

EH BIEN, MOI, JE VEUX ÊTRE DANS LE BAIN!

ET LE BAIN, C'EST ICI, EN ZONE OCCUPÉE!

C'EST PLUS RISQUÉ D'ÉMETTRE DE CE CÔTÉ-CI DE LA LIGNE DE DÉMARCATION. MAIS QUITTE À MOURIR, AUTANT ÊTRE TUÉ PAR DES ALLEMANDS!

EN ZONE NON OCCUPÉE, CE SONT DES AGENTS DE VICHY ET LA POLICE FRANÇAISE QUI NOUS TRAQUENT.

PÉTAIN Y A MÊME AUTORISÉ LA PRÉSENCE D'AGENTS SECRETS ALLEMANDS.

JE VOIS !

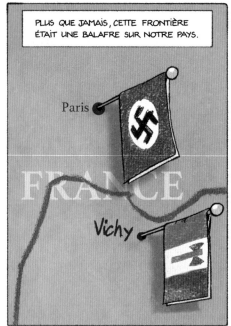

PLUS QUE JAMAIS, CETTE FRONTIÈRE ÉTAIT UNE BALAFRE SUR NOTRE PAYS.

Paris

FRANCE

Vichy

MAIS LE 8 NOVEMBRE 1942, DES TROUPES ANGLAISES ET AMÉRICAINES DÉBARQUÈRENT EN ALGÉRIE ET AU MAROC, TERRITOIRES FRANÇAIS FIDÈLES À VICHY.

DANS UN CALME RELATIF PAR ENDROITS. MAIS À D'AUTRES, LES SOLDATS FRANÇAIS RIPOSTÈRENT.

BONIFACE, LE PÉTAINISTE ACHARNÉ DE NOTRE VILLAGE, QUI SE MONTRAIT SI DISCRET CES DERNIERS TEMPS, FIT À NOUVEAU PARLER DE LUI.

RÉVOLUTION
L'armée française reste fidèle au Maréchal et riposte

...VOUS DEVRIEZ ÊTRE FIERS QUE NOTRE ARMÉE SE BATTE CONTRE LES ANGLAIS ET LES AMÉRICAINS !... VOUS ÊTES DES TRAÎTRES !... **DES TRAÎTRES !**

EH BIEN MOI, BONIFACE, ÇA ME POSE UN PROBLÈME QUAND MÊME !

OUI, UN JOUR, NOS ALLIÉS VIENDRONT NOUS LIBÉRER !

CE SONT NOS ENNEMIS !... *TRAÎTRES !*

TRAÎTRES ?!?... EN TOUT CAS, MOI, UNE CHOSE EST SÛRE, JE NE SERAI JAMAIS DU CÔTÉ DES BOCHES COMME CERTAINS !

ILS SONT DE TOUTE FAÇON LÀ ! ALORS AUTANT QUE ÇA SE PASSE AU MIEUX !

MOI AUSSI ÇA ME FAIT MAL DE SAVOIR QUE LES ALLIÉS SE BATTENT CONTRE DES FRANÇAIS !...

CONTRE MES COMPATRIOTES !

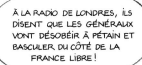

À LA RADIO DE LONDRES, ILS DISENT QUE LES GÉNÉRAUX VONT DÉSOBÉIR À PÉTAIN ET BASCULER DU CÔTÉ DE LA FRANCE LIBRE!

JE L'ESPÈRE!

HEUREUSEMENT, CELA ARRIVA.

KR!... CESSEZ-LE-FEU PROCHE À ORAN, CASABLANCA... ALGER PRISE AVEC L'AIDE DE LA RÉSISTANCE FRANÇAISE... KRiiiip...

BIEN SÛR, LES NAZIS NE RESTÈRENT PAS INACTIFS FACE À CE DÉBARQUEMENT.

DEMARKATIONSLINIE ÜBERSCHREITEN VERBOTEN

LIGNE DE DEMARCATION DEFENSE DE TRAVERSER

Halt

LE 11 NOVEMBRE, PARTOUT DANS LE PAYS, VIOLANT LES CLAUSES DE L'ARMISTICE, ILS FRANCHIRENT LA FAMEUSE LIGNE DE DÉMARCATION AFIN D'ENVAHIR LA ZONE NON OCCUPÉE.

TOUTES NOS CAMPAGNES ET NOS DERNIÈRES GRANDES VILLES FURENT ASSERVIES ET DÉFIGURÉES À LEUR TOUR.

CETTE FOIS, VOTRE PAYS EST ENTIÈREMENT OCCUPÉ!

OUI! UNE SACRÉE NOUVELLE GIFLE!... NOUS SOMMES AU FOND DU TROU!

PAS SI SÛR!

NOUS SOMMES À NOUVEAU TOUS UNIS. DANS LA SOUFFRANCE, FACE À UN ENNEMI PLUS CLAIREMENT IDENTIFIÉ QUE JAMAIS!

LA FRANCE REVIENT DANS LA GUERRE AUX CÔTÉS DE SES ALLIÉS!

CROYEZ-MOI! C'EST PÉTAIN ET SES AMIS QUI ONT LE PLUS PERDU!

ON POUVAIT À PRÉSENT ESPÉRER QUE LES RANGS DES COLLABOS CESSERAIENT DE GROSSIR!...

MAIS DE LÀ À CE QU'ILS SE TAISENT...

WH-38177

LES ALLEMANDS ÉTAIENT OBLIGÉS D'ENVAHIR LA ZONE NON OCCUPÉE.

LES ANGLO-AMÉRICAINS POUVAIENT DÉBARQUER PAR LA MÉDITERRANÉE!

C'ÉTAIT UN MAL NÉCESSAIRE POUR LE BIEN DE LA FRANCE!... LA PAIX AVANT TOUT!

LA POPULATION N'A PAS BESOIN D'UN NOUVEAU CHAOS!...

DÉJÀ LES BOMBARDEMENTS AMÉRICAINS!

EN TOUT CAS, ÇA FAIT PLAISIR DE VOIR QU'IL RESTE DE VRAIS PATRIOTES DANS CE VILLAGE!

VROO

ON REÇOIT DE MOINS EN MOINS DE MESSAGES POUR EURÉKA CES DERNIERS TEMPS!

34

AH! CETTE FOIS, IL Y A DES MESSAGES, ET...

!?

C'EST EXTRAORDINAIRE! IL FAUT MONTRER ÇA À LISA ET À EUSÈBE!...

ET SANS TARDER! C'EST BIENTÔT L'HEURE DU COUVRE-FEU!

AH! LES VOILÀ!

!

JE M'ÉTAIS SANS DOUTE TROP IMPLIQUÉ DANS LA RÉSISTANCE CES DERNIERS TEMPS...

ÉCOUTEZ!... LES ALLEMANDS N'OCCUPENT PAS ENCORE LA RADE DE TOULON!

CRiiii... KR. DERNIÈRE ZONE NON OCCUPÉE EN FRANCE! ... KR.

KR... HÉSITATIONS ...

IL SERAIT TEMPS QUE NOTRE FLOTTE DE GUERRE APPAREILLE POUR L'AFRIQUE DU NORD!...

JE N'AVAIS PAS VU QUE D'AUTRES CHOSES SE PASSAIENT DANS L'OMBRE.

SINON, ELLE VA TOMBER ENTRE LES MAINS DES ALLEMANDS!

IL FAUT SE VOIR À TROIS DEMAIN MATIN!...

IMPÉRATIF!

ON VIENT DE RECEVOIR DES MESSAGES NON CODÉS!

LE NOTAIRE AVAIT EU UNE IDÉE DE GÉNIE !...

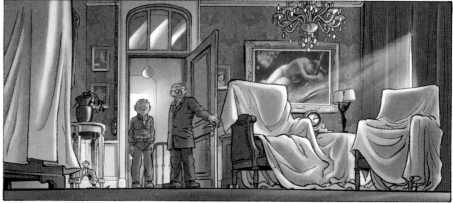

C'EST L'APPARTEMENT D'UNE FAMILLE JUIVE QUI A ÉTÉ DÉPORTÉE EN AOÛT.

ON M'A ÉGALEMENT CONFIÉ LA GARDE DE TROIS AUTRES BIENS. TOUS À PROXIMITÉ DE LA KOMMANDANTUR !

GRÂCE À CE VOISINAGE, EURÊKA ÉTAIT EN RÉALITÉ TRANQUILLE ...

TITIC TIC TIC TIC TIC TIC TIC TIC TIC

PUISQUE LORSQU'IL OPÉRAIT, LES AGENTS DE LA FUNKABWEHR PENSAIENT QU'IL S'AGISSAIT D'UNE ÉMISSION DE LA KOMMANDANTUR.

!

C'EST LE TROISIÈME MESSAGE QUI PARLE D'UNE AUGMENTATION DE TRAFIC SUR LE CANAL !

VOILÀ POURQUOI LES DÉFENSES DE L'ÉCLUSE ONT ÉTÉ CONSOLIDÉES !

BIEN DÉDUIT, LISA !

SANS DOUTE LES ALLEMANDS DÉTOURNENT-ILS DU TRAFIC SUR NOTRE PETIT CANAL PLUS DISCRET !

LA COMBINE FONCTIONNAIT À MERVEILLE!... POURTANT, FIN DÉCEMBRE 1942, ALORS QUE JE FAISAIS L'AUXILIAIRE POUR LE SEUL BONHEUR D'ENTENDRE LES CRÉPITEMENTS VENANT DU PAYS DE LA LIBERTÉ ...

KRR... CRÎÎÎIII... BÎP. BÎP. BÎBÎP. BÎP. BÎP. KRRR...

TIC TI-TIC TIC TIC TIC TIC TIC

FRANÇOIS, LA BATTERIE EST EN TRAIN DE FLANCHER! BRANCHE-MOI VITE SUR LE SECTEUR!

JE N'EN AI PLUS QUE POUR UNE MINUTE, MAIS VOUS SAVEZ CE QUE ÇA VA PROVOQUER!

ET IMMÉDIATEMENT AU REZ-DE-CHAUSSÉE ...

C'EST NOUVEAU, ÇA!

BAH! LES CLIGNOTEMENTS ...

... C'EST DÉJÀ MIEUX QUE LES COUPURES DE COURANT, NON ?

CONTENT QUE TOUT CELA TE FASSE RIRE!

ALERTE! DEUX OFFICIERS ALLEMANDS VIENNENT TOUT DROIT PAR ICI!

J'AI PRESQUE FINI!

DELING DING ♪

JE TE LAISSE À TES PROCHAINS RENDEZ-VOUS, PASCAL!

ÇA VA!... FAUT BIEN VIVRE! T'AS QU'À VENIR PLUS SOUVENT!

WAS IST DAS?

QUE SE PASSE-T-IL DANS CET IMMEUBLE?

39

POURQUOI CETTE FENÊTRE EST-ELLE OUVERTE?

FAUT AÉRER DE TEMPS À AUTRE!

MONSIEUR LE NOTAIRE A PROMIS AU PROPRIÉTAIRE DE BIEN S'OCCUPER DE L'APPARTEMENT PENDANT SON ABSENCE!

BELLE CONSCIENCE PROFESSIONNELLE!...

POUVEZ-VOUS NOUS MONTRER VOTRE PERMIS DE TRAVAIL?

LES OFFICIERS NE NOUS VIRENT PAS. NI LE FIL D'ANTENNE ASTUCIEUSEMENT DISSIMULÉ DANS LA GOUTTIÈRE.

VOUS MÉRITEZ MIEUX QUE "HOMME À TOUT FAIRE"!... EN ALLEMAGNE, NOUS VOUS DONNERONS UN MÉTIER!... UN VRAI!

NOUS AVONS PU RETOURNER ÉMETTRE DANS CES APPARTEMENTS, CAR C'ÉTAIT UNE BONNE COMBINE... À CONDITION DE NE PAS OUBLIER QUE NOTRE BATTERIE VIEILLISSAIT!

CE DÉTAIL NOUS AVAIT COÛTÉ L'UN DE NOS PLUS DÉVOUÉS AUXILIAIRES!

DÉBUT 1943, COMME LE REDOUTAIT MONSIEUR MARNIER...

...VINT UN INSPECTEUR D'ACADÉMIE DÉPÊCHÉ PAR LE MINISTÈRE DE L'INSTRUCTION PUBLIQUE DE VICHY.

LES ENFANTS, POUVEZ-VOUS ME DIRE POURQUOI VOUS AIMEZ LE MARÉCHAL PÉTAIN?

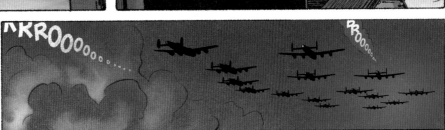

KRROOOOoooo····· DROOOoo···

UN MORT DANS LE VILLAGE...
C'ÉTAIT DÉJÀ BEAUCOUP TROP !

MAIGRE CONSOLATION :
C'ÉTAIT UN MIRACLE QU'IL
N'Y EN AIT PAS EU PLUS !

LES AVIONS
REVENAIENT
DE L'EST.

OUI, SANS DOUTE
D'ALLEMAGNE !

NOS ÉCLUSES
DEVAIENT ÊTRE UN
PETIT OBJECTIF EN PLUS !...
UN DÉTOUR SUR LE
CHEMIN DU RETOUR.

ÇA EXPLIQUERAIT LE PEU
DE BOMBES LÂCHÉES !

VU LA QUANTITÉ
D'AVIONS, OUI !

OUI, EH BIEN, LA
PROCHAINE FOIS,
QU'ILS LES BALANCENT
TOUTES SUR LA TÊTE
DES BOCHES !

V... VOUS CROYEZ VRAIMENT
QU'ILS SONT VENUS À CAUSE
DE NOUS ?... DES MESSAGES ?

CHUUUT !

C'EST CLAIR ! NOUS
AVONS ATTIRÉ LE
MALHEUR SUR NOTRE
PROPRE VILLAGE !

NOTRE MISSION D'HÉBERGER EURÊKA ET DE LE RENDRE
EFFICACE N'AVAIT QUE TROP BIEN RÉUSSI.

TAISEZ-VOUS !...
S'IL VOUS
PLAÎT !

JE... JE
SUIS DÉSOLÉ,
LISA !

ET AU LIEU D'EN ÊTRE FIERS,
NOUS CULPABILISIONS.

V.44

CE PRIX DE LA LIBERTÉ... TOUJOURS
PLUS DIFFICILE, TOUJOURS PLUS
LOURD À PORTER !

MÊME SI J'AVAIS LE CŒUR BRISÉ, J'ÉTAIS
CONTENT QU'EUSÈBE PUISSE AIDER LISA
EN LUI APPORTANT GAIETÉ ET LÉGÈRETÉ.

LA GUERRE AVAIT VOLÉ NOTRE ENFANCE. MES AMIS AVAIENT
DÉCIDÉ QU'ELLE NE VOLERAIT PAS LEUR ADOLESCENCE ET ILS
AVAIENT RAISON !

46

IL SE DISAIT QUE LA LIGNE DE DÉMARCATION SERAIT SUPPRIMÉE, MAINTENANT QUE TOUTE LA FRANCE ÉTAIT OCCUPÉE.

Paris

FRANCE

Vichy

NOTRE PAYS CESSERAIT D'ÊTRE DIVISÉ EN DEUX.

JE PENSAIS SOUVENT À NOS TRAVAILLEURS, TOUJOURS PLUS SOUS PRESSION !...

DEVRIONS-NOUS LES CACHER POUR EN FAIRE DES RÉSISTANTS AVANT QU'ON NE LES ENVOIE EN ALLEMAGNE ?

Finis les mauvais jours !

Papa gagne de l'argent en Allemagne !

D'UN AUTRE CÔTÉ, JE CONNAISSAIS LA DIFFICULTÉ DE NOURRIR UN SEUL HOMME DANS LA CLANDESTINITÉ.

IL Y AVAIT POURTANT URGENCE À FAIRE GROSSIR LES RANGS DE LA RÉSISTANCE !

PASSE LA COLLE !

!?

ET VOILÀ !... HEUREUSEMENT QUE VICHY EST LÀ POUR RAPPELER QUE CE SONT CES SALAUDS D'ANGLAIS QUI ONT BOMBARDÉ CE VILLAGE !

QUOI, GAMIN ? ...

Y A UN PROBLÈME ?

LES ANGLAIS

ONT BOMBARDÉ LES P... la population c...

MILICE FRANÇAISE ! C'EST TOUT NEUF !

ON EST LÀ POUR AIDER LA GESTAPO À FAIRE RÉGNER L'ORDRE DANS LE PAYS !

ALORS, SI TU VOIS DES COMMUNISTES, DES JUIFS OU CES TRAÎTRES DE RÉSISTANTS, TU NOUS LE DIS ! COMPRIS ?

AUTANT QUE CE BOULOT SOIT FAIT PAR DES FRANÇAIS, PAS VRAI ?

SCÉNARIO: VINCENT DUGOMIER.
DESSIN & COULEURS: BENOÎT ERS.

Les enfants de la
RÉSISTANCE

Pour en savoir plus

Dossier rédigé par Dugomier

Ci-contre : File au poste de Moulins dans l'Allier.

La ligne de démarcation

Cette ligne, véritable frontière intérieure, divise la France en deux zones principales. Bien gardée, elle est difficile à franchir et complique le quotidien de beaucoup de Français, mais aussi le travail de la Résistance.

La création de la ligne

À la signature de l'armistice, le 22 juin 1940, l'Allemagne nazie impose la ligne de démarcation à la France vaincue. La zone occupée par les Allemands est au nord. Les principales ressources agricoles et industrielles du pays s'y trouvent. Pour des raisons de défense militaire, les Allemands occupent aussi la côte atlantique. La zone libre, non occupée, est au sud. Elle est restée française et on y trouve Vichy, la ville capitale de l'État français dirigé par le maréchal Pétain et son gouvernement qui collabore avec l'Allemagne nazie — par habitude, l'État français durant cette période est souvent surnommé « Vichy ». La zone libre est volontairement appauvrie économiquement par l'occupant pour qu'elle vive sous le chantage permanent d'une fermeture totale de la ligne ou de l'envahissement entier de la France.

Treize départements divisés

Petit à petit, la ligne de démarcation est fortifiée. Il faut un laissez-passer — *ausweis* — pour la franchir et les fraudes sont punies de mort par les Allemands. Treize départements sont coupés par la ligne, ce qui complique la vie de milliers de Français et affaiblit cette zone frontalière, car toute l'administration est fortement désorganisée. On rencontre, au début surtout, des situations invraisemblables comme, par exemple, une impossibilité pour un ouvrier de se rendre à son travail ou pour un agriculteur d'avoir accès à une partie de ses terres, une incapacité pour la police d'intervenir dans des zones isolées d'un département ou pour un retraité de toucher sa pension. Le commerce est aussi très fortement perturbé. La vie est donc très différente selon qu'on réside en zone occupée ou libre, mais aussi, à proximité de la ligne.

Les passeurs

Les résistants en mission ou les Juifs fuyant les persécutions nazies n'ont pas d'*ausweis*, ils doivent alors franchir la ligne de façon clandestine. Interviennent les passeurs, qui sont souvent des gens du cru. Ils inventent des cachettes dans des voitures ou des trains. On passe de nuit à travers champs ou en franchissant les rivières, qui servent souvent de frontières naturelles. Certains sont des passeurs professionnels agissant sans scrupules et à vil prix, mais la plupart sont des résistants ou de simples quidams mus par leur humanité.

Soldats allemands à la recherche de caches lors du passage de la ligne.

Ausweis qui permet de franchir la ligne.

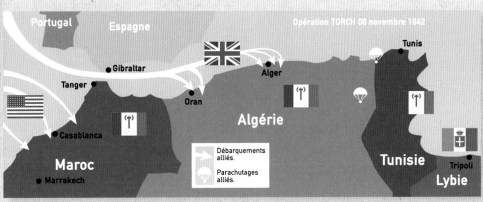

Opération TORCH 08 novembre 1942

Suisse

Lyon
• Vienne
• Grenoble
Italie
• Valence

France
• Avignon   Menton
• Nîmes   • Nice
• Marseille
• Toulon
Mer Méditerranée

Portugal   Espagne

• Gibraltar
Tanger
• Oran
Alger

Maroc   Algérie   Tunis
• Casablanca

• Marrakech   Tunisie   Tripoli
                                        Lybie

Débarquements
alliés.
Parachutages
alliés.

■ Zone occupée.
□ Zone non occupée.
— Ligne de Démarcation.
■ Zones occupées par l'Italie.

*Ci-dessus : La carte
du débarquement en
Afrique du Nord.*

*À gauche : Les zones d'occupation
italienne de juin 1940 à novembre
1942. Elles concernent 800 km²
et 28 000 habitants.*

Les autres zones

Comme vous pouvez le voir sur la carte en début d'album, il existe
d'autres zones. Il y a les zones interdites le long des côtes pour
raisons stratégiques. De là devait partir l'invasion allemande vers
l'Angleterre. Et c'est le long de ces côtes que les nazis se protègent
d'un éventuel débarquement allié. Les zones annexées par
l'Allemagne en France sont l'Alsace et la Lorraine. La pratique
de la langue allemande y est obligatoire dans l'administration et
à l'école, et la population est poussée à adhérer aux idées du parti
nazi. Quant à la zone de peuplement allemand, elle doit, à terme,

devenir aussi totalement allemande. La zone administrée depuis
Bruxelles, incluant les départements du Nord et du Pas-de-Calais,
était gouvernée par un officier allemand au même titre que
la Belgique. Pour être complet, l'Italie — alliée aux nazis — occupe
quelques zones depuis juin 1940 le long de la frontière franco-
italienne, non dessinées du fait de leur petite taille. La ville de
Menton devient italienne et la pratique de l'italien y est obligatoire.

La fin de la zone libre

Le débarquement allié anglo-américain en Afrique du Nord,
le 8 novembre 1942, provoque l'invasion de la zone libre par
les Allemands, le 11 novembre 1942. Les Allemands veulent
se protéger des Alliés qui pourraient débarquer d'Afrique
du Nord par la côte méditerranéenne. La France est maintenant
totalement envahie. La zone libre est rebaptisée « zone sud ».
La ligne de démarcation reste en place de façon stricte jusqu'au
1er mars 1943. L'Italie profite de cette invasion pour occuper
une grande partie du sud-est de la France (voir la carte en fin
d'album cette fois), ainsi que la Corse. La ligne de démarcation
ne disparaîtra pas complètement et restera un handicap pour
le pays jusqu'à la Libération.

Le débarquement en Afrique du Nord le 8 novembre 1942.

La Résistance et la fin de la zone libre

L'invasion totale de la France en novembre 1942 change la donne pour la Résistance et provoque de nouvelles vocations. Le général de Gaulle, qui appelle à résister depuis Londres, avance non sans mal dans son travail d'unification.

Portraits des chefs des trois principaux réseaux de la zone libre.
À gauche : Henri Frenay (Combat). Au milieu : Jean-Pierre Lévy (Franc-Tireur).
À droite : Emmanuel d'Astier de la Vigerie (Libération-Sud).

L'armée entre en Résistance

Depuis l'armistice du 22 juin 1940, des militaires français refusant la défaite résistaient en zone libre (caches d'armes, renseignements...), mais ce n'était pas une généralité. Après l'invasion de la zone libre en novembre 1942, Hitler fait dissoudre la petite armée française que les clauses d'armistice autorisaient. Ceci accroît l'entrée en résistance de militaires qui créent, le 31 janvier 1943, l'Organisation de résistance de l'armée, l'ORA. Mais ces soldats ne sont pas partisans de de Gaulle qu'ils désapprouvent. Ils se réclament du général Henri Giraud qui, depuis son évasion spectaculaire d'Allemagne et son retour dans la clandestinité en France, fait office de rival pour représenter la France en lutte. Giraud est en résistance, mais sans désapprouver Pétain et Vichy. De Gaulle parviendra à dépasser ce rival qui finalement se ralliera à lui.

Les pas vers l'unification de la Résistance

Jean Moulin (voir le dossier du tome 4) est le délégué civil et militaire pour la zone libre du général de Gaulle. Envoyé en France, il poursuit le long travail d'unification de la résistance civile.

Par exemple, en septembre 1942, les trois réseaux importants de la zone libre coordonnent leurs branches spécialisées dans l'action militaire dans une unité de combat : l'Armée secrète, l'AS. À la fin de la zone libre, ces mêmes réseaux s'associent, le 26 janvier 1943, pour devenir les Mouvements unis de la Résistance, les MUR. Un pas de plus vers le Conseil national de la Résistance, le CNR.

Les difficultés

Le travail de Jean Moulin n'est pas simple. Il lui faut parfois des semaines pour entrer en contact avec des chefs de la Résistance, car tout le monde œuvre dans la clandestinité et doit se méfier de la police de Vichy et des agents nazis infiltrés qui traquent les résistants sans merci. Il y a aussi beaucoup de susceptibilités et de tendances politiques divergentes, même dans des réseaux qui se réclament de de Gaulle. La résistance communiste et les réseaux de la zone nord ne font pas partie des MUR, mais des contacts sont en cours. Certains réseaux resteront d'ailleurs indépendants jusqu'à la fin de la guerre, ainsi que ceux qui sont dirigés en direct par les services secrets britanniques.

À gauche : Le général Aubert Frère, le fondateur de l'ORA.
À droite : Le général Giraud. Préféré dans un premier temps par les Alliés, il perdra de son influence au profit du général de Gaulle.

La rade de Toulon après le sabordage.

Le refus de la désobéissance

Lors de l'invasion de la zone libre, l'amiral Jean de Laborde est le chef des forces de haute mer françaises à Toulon. Son supérieur, l'amiral Darlan (qui veut passer dans le camp des Alliés), lui ordonne d'appareiller avec la flotte de guerre afin de rejoindre les Alliés anglo-américains en Afrique du Nord pour continuer la lutte avec eux. De Laborde, aussi hostile envers les Allemands que les Britanniques, ordonne le sabordage de la flotte française. Quatre-vingt-dix navires sont détruits par les matelots français. Après la guerre, de Laborde sera condamné à mort, mais gracié. L'amiral Darlan, impliqué dans la politique de collaboration avec l'Allemagne (il a été chef du gouvernement du régime de Vichy de février 1941 à avril 1942), meurt assassiné un mois plus tard à Alger.

La Résistance en Corse

Baume au cœur après le sabordage de Toulon, trois sous-marins ont désobéi et rejoint l'Afrique du Nord. Le Casabianca, du nom d'un glorieux marin corse, est de ceux-ci. Il participera à la libération de l'île occupée par les Italiens. Dès le 14 décembre 1942, il dépose en secret un commando chargé d'organiser la Résistance en Corse. Le Casabianca apportera aussi du ravitaillement en hommes et en armes jusqu'à la libération de l'île en septembre 1943.

Le sous-marin Casabianca qui fit six voyages clandestins périlleux vers la Corse.

La Milice

C'est le 30 janvier 1943 que le régime de Vichy crée sa police politique, la Milice française. Même si les premiers mois, elle n'est pas armée, elle va devenir une unité paramilitaire de terreur. Elle aide la Gestapo — la police politique des nazis — à traquer les résistants, les Juifs, les communistes et les opposants à Vichy en utilisant les mêmes méthodes violentes. Son chef est le chef du gouvernement, Pierre Laval, et son commandant, Joseph Darnand. La Milice est soutenue par le maréchal Pétain.

Ci-contre :
Les miliciens français et leurs uniformes noirs deviendront vite sinistrement connus. Ceux-ci sont déjà armés.

Au milieu :
Le drapeau des miliciens arborant le symbole gamma.

Les liaisons radio

Le développement lent
et périlleux des premières
liaisons radio a été décrit
dans le dossier de l'album
précédent. L'année 1943
voit l'amélioration d'une
situation critique.

Les sauts qualitatifs

La proportion de décès des
opérateurs radio (surnommés
les pianistes) est dramatique,
mais diminuera sans cesse
au fil du conflit. Fin 1942 arrive
le poste B2 moitié moins lourd,
et donc plus mobile que le B1
utilisé dans cet album. En 1943,
il y a plus de personnel qualifié
à Londres pour réceptionner
les messages des pianistes
qui opéraient parfois dans
le vide, et l'Afrique du Nord
devient un centre d'écoute
supplémentaire. Le service
Wireless Transmission installé
par Jean Moulin est remplacé
par le plan Electre de Jean Fleury,
au mode opératoire plus sécurisé.
En 1944, c'est simplement
la quantité d'émetteurs en
opération en France qui noie
les Allemands dans leurs
recherches.

Le repérage

L'opérateur est le seul résistant
à avoir un contact direct avec
Londres. Privilège revigorant
en ces temps sombres, mais qui
le fait repérer immédiatement
par l'ennemi. Les Allemands
utilisent pour cela un camion de
goniométrie de la Funkabwehr (branche radio du contre-
espionnage militaire allemand) et les postes de goniométrie
fixes de Nantes, Munich ou Hambourg. Les postes fixes réalisent
une triangulation, chacun traçant sur une carte une ligne qu'il
a repérée avec son goniomètre et le camion affine la recherche.
Le pianiste se situe dans ce triangle qui rétrécit au fil
des minutes, indiquant à l'occupant où lancer ses
troupes d'intervention. Le rôle des auxiliaires est
alors déterminant, car le pianiste, casque sur les
oreilles, n'entend rien de ce qui se passe autour de lui.

À gauche :
La radio anglaise
fait aussi passer
des messages
à l'aide de phrases
surréalistes et
compréhensibles
par le destinataire
uniquement.

À gauche : Message codé avec le
système de la double transposition.

À gauche en bas : Message
déchiffré à Londres. Les fautes
sont intentionnelles pour attester
que l'opérateur a émis en liberté.

Ci-dessous : Le poste émetteur-
récepteur MKII dit B2, de 10 kg,
mis au point par les services secrets
britanniques, a été le modèle
le plus répandu pendant la guerre.

© Musée de la Résistance nationale,
Champigny.

La double transposition

C'est le nom du système de codage
utilisé pour que l'occupant ne comprenne
pas les émissions. Il faut vingt minutes
pour transformer à deux reprises
un message en une série de lettres
incompréhensible. Une grille et deux
phrases clés, seulement connues
de l'opérateur et de Londres, sont
nécessaires. Les machines de
décryptage allemandes ayant réussi
à casser le code en quelques mois,
le « système A-Z », à clé de codage
à usage unique, sera alors utilisé.
Il restera inviolé. Mais l'absence
d'une seule lettre ou l'interruption
de l'émission rend tout le message
intraduisible, ce qui incite les
pianistes à prendre des risques pour
finir leur travail.

L'Occupation après 2 ans et demi

Alors qu'une issue favorable du conflit semble encore lointaine, le quotidien des Français est de plus en plus pénible.

Les privations

Les restrictions rythmeront quatre années d'occupation de façon cruelle. Mais avec les tickets de rationnement instaurés dès septembre 1939 et le retrait des derniers en vigueur en décembre 1949, les Français connaîtront en réalité dix années de manques ! Chaque citoyen, classé par Vichy en fonction de ses besoins énergétiques (âge, sexe, métier), reçoit sa ration correspondante, mais qui ne représente que la moitié des calories quotidiennes vitales. Le pays, faut-il le rappeler, est pillé par les nazis. Débrouillardise et inventivité sont donc de mise. Potagers et élevages s'improvisent un peu partout, même en ville. Le marché noir — trafic clandestin de marchandises — se développe. Les produits sont de mauvaise qualité et les ersatz — produits de remplacement — arrivent. Du café est fabriqué à base de glands. Du poivre est fait de cendres. La farine est allongée avec de la farine de fèves et parfois de la sciure de bois. Le rutabaga, sorte de navet réservé au bétail, remplace la pomme de terre. Il y a aussi pénurie pour les habits, les combustibles, les savons…

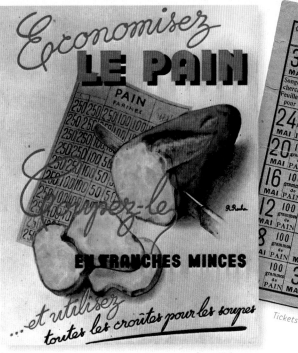

Les nouveaux comportements alimentaires encouragés par Vichy n'aideront pas sa popularité.

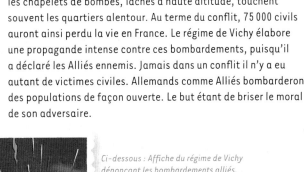

Tickets de rationnement.

arriver de loin, car leur vol est assez lent et très bruyant, puisqu'ils volent par groupes compacts. En ville, dès les premiers appels des sirènes, la population court aux abris. Les bombardiers visent des objectifs stratégiques : ports, gares de triage, usines, centrales électriques… Hélas, les chapelets de bombes, lâchés à haute altitude, touchent souvent les quartiers alentour. Au terme du conflit, 75 000 civils auront ainsi perdu la vie en France. Le régime de Vichy élabore une propagande intense contre ces bombardements, puisqu'il a déclaré les Alliés ennemis. Jamais dans un conflit il n'y a eu autant de victimes civiles. Allemands comme Alliés bombarderont des populations de façon ouverte. Le but étant de briser le moral de son adversaire.

Les bombardements alliés

Les Français vivent dans la terreur du passage des bombardiers anglais ou américains. Ils les entendent

Ci-dessus : Bombardement d'usines à Courbevoie, au nord de Paris. En haut de la photo, on distingue des bombes qui viennent d'être larguées.

Ci-dessous : Affiche du régime de Vichy dénonçant les bombardements alliés.

À gauche : Dans ce livre, cadeau de Noël 1942, Pétain glorifie le don de sa personne en se comparant à un autre chef historique qui a fait confiance au vainqueur, Vercingétorix. Au milieu : Un des livres de la propagande de Vichy auprès des écoliers. À droite : Ces bons points récompensent les enfants tout en distillant les vertus promues par le régime de Vichy.

L'école à l'heure de Vichy

Afin d'installer son régime politique dans la durée, le maréchal Pétain développe une intense propagande destinée aux enfants. Pétain y cultive un véritable culte de la personnalité. Il s'y montre aimable tout en y imposant son esprit autoritaire. Les enfants sont vus comme l'avenir du pays, mais on leur demande aussi d'être les ambassadeurs de Vichy et de répéter les leçons moralisatrices et les bienfaits de la collaboration à la maison. Des ligues de loyauté sont créées, visant à faire des Français un peuple loyal et honnête. Il est du devoir du chef de ligue de dénoncer un membre fautif. Les enfants deviennent aussi une immense main-d'œuvre gratuite pour l'État français. Ils ramassent ferraille, papier, fruits sauvages, cuir, tissu, caoutchouc… ainsi que les doryphores, insectes nuisibles sur les récoltes. Une façon de faire sentir aux enfants qu'ils sont utiles à leur pays. L'école perd sa laïcité car des leçons de morale religieuse sont instaurées. Sont exclus de l'école : les instituteurs jugés trop laïcs ou restés fidèles à l'esprit républicain, les enseignants juifs et, en 1942, les écoliers juifs.

Des situations militaires nouvelles à la fin de 1942

En plus de l'Angleterre, l'Afrique du Nord devient un lieu de départ supplémentaire allié pour reconquérir l'Europe. Le régime de Vichy n'a maintenant plus aucune puissance : il a perdu son armée de la zone libre et sa flotte à Toulon, et désormais toutes les armées des colonies françaises d'Afrique ont rejoint la France libre et les Alliés. L'occupant allemand accentue le transfert de la main-d'œuvre française masculine vers ses usines. Les citoyens vivent dans un climat d'inquiétude, mais aussi d'espoir, car les Allemands reculent sur le front russe et ils ont perdu la bataille du désert en Égypte. Surtout, les Français savent que tôt ou tard les Alliés débarqueront pour libérer le pays, même si une tentative a tourné au désastre en Normandie, à Dieppe, le 19 août 1942. En effet, 8 000 hommes se lancent à l'assaut des plages, pour la plupart des Canadiens. La moitié d'entre eux mourront ou seront faits prisonniers. Le reste réussira à rembarquer.

Ci-contre : Pris dans l'hiver russe très rude et par une guerre de harcèlement inhabituelle dans une ville en ruine, les Allemands perdent pied devant Stalingrad.

Ci-dessus : Le débarquement raté de Dieppe servit malgré tout de test pour un plus grand débarquement en préparation.